Sagrada Familia

Jackie Thomae

NOVELLIX
— *stories to go* —

www.novellix.com/de

Sagrada Familia

Novellix, Bondegatan 11, 116 23 Stockholm
info@novellix.com
Covergestaltung: Lisa Benk
Motiv: Caspar David Friedrich
Wiesen bei Greifswald bpk, Hamburger
Kunsthalle, Elke Walford
Druck: Livonia Print, Riga 2025
ISBN: 978-91-7589-726-4

FSC
www.fsc.org
MIX
Papier | Fördert
gute Waldnutzung
FSC® C002795

OB ER DEN Taxifahrer bitten könne, die Air-Con auszumachen, fragt ihn seine Freundin auf dem Weg in die Stadt. Esther, die offenbar entschieden hat, die Kommunikation ihm allein zu überlassen. Der Taxifahrer versteht ohne seine Übersetzung, schaltet die Klimaanlage aus, fährt die Scheibe runter und hängt seinen fleischigen Unterarm aus dem Fenster. An seinem Rückspiegel baumelt ein Lufterfrischer in Fischform, nicht das passende Symbol, denkt Richard. Er erkennt nichts, ist den Weg zum Flughafen nur einmal gefahren, erkennt aber den Sprachstil der Radiomoderatorin, die ununterbrochen künstlich zu lachen scheint, während sie redet.

Sie kleben zu dritt auf der Rückbank, in der Mitte das Kind, dessen flaumige Arme seine kitzeln. Er mag körperliche Berührungen nur, wenn sie zielgerichtet sind: die Hände seiner Physiotherapeutin, seines Friseurs, Sex. Er quetscht sich in die Ecke des Wagens, hält sich oben an dem albernen Griff fest, bekommt den Fahrtwind ins Gesicht, rechnet sofort mit einer Gesichtslähmung aufgrund von Zug. Fazialisparese hatte zu Sannes Lieblingsgefahren gezählt; sie wurde heraufbeschworen, sobald es jemand wagte, mit offenem Fenster zu fahren. Sie bestand auf Klimaanlagen, geschlossenen Fensterläden, Schatten. Wer der Sonne hinterherrannte, war Tourist.

Er ist jetzt Tourist. Die zehn Jahre, die er hier verbracht hat, werden ihnen an diesem Wochenende keinen Vorteil verschaffen, das versteht er erst jetzt, als er über Ottos Kopf hinweg Esther ansieht, die erwartungsvoll hinaus auf die auftauchende Stadt schaut. Es war ihre Idee, hierher zu kommen, an seinen Geburtsort, über den er nur spricht, wenn man ihn danach fragt.

Rechts und links erheben sich hohe Wohnhäuser aus den Siebzigern und Achtzigern, die Palmen am Straßenrand lassen sie mondäner aussehen als ihre

Geschwister im Norden. Ihm fällt wieder ein, dass er gern in einem solchen Haus gewohnt hätte, dass er sich vorgestellt hat, es wäre strahlend hell dort drin und voller anderer Kinder. Als er noch nicht wusste, dass diese Häuser nicht für Leute wie ihn gebaut worden waren, dass jede Stadt ihre eigene Welt mit verschiedenen Kulturen bildete. Später hatte er eine Serie über Hochhaussiedlungen fotografiert, hatte gegenübergestellt, was die Architekten sich gedacht hatten – Licht, Platz, Würde – und was man dem Leben in diesen Häusern nachsagte – Enge, Armut, Gewalt. Die Bewohner hatten ihn in ihre Leben gelassen und er hatte einen Preis für diese Arbeit bekommen, für seinen „anthropologischen Blick", wie die Jury es ausdrückte.

„Zeigst du uns, wo du gewohnt hast?", fragt ihn Otto, beunruhigend passend. Er hat die Frage befürchtet, obwohl er ihnen sagen und zeigen kann, was er will, denn sie kennen die Stadt nicht. Und er kennt sie auch nicht mehr.

Immer, wenn er dem Jungen antwortet, fühlt er sich, als wäre er an einen Lügendetektor angeschlossen. „Richard? Wie viel verdienst du?", hatte er ihn gefragt, als sie am Kofferband standen. Er hatte Esther angeschaut, die ihm nur einen blanken Blick zuwarf, die diese Frage weder naseweis noch indiskret zu finden schien. Nachdem er einen Betrag genannt hatte, den er für durchschnittlich und kindgerecht hielt, fragte Otto ihn ernst: „Brutto oder netto?“ – und er lachte, eine Spur zu unsicher.

Er muss nichts verdienen. Was er niemals so sagen würde. Was er selbst nicht so empfindet.

Das Taxi hält vor dem Hotel, das Esther ausgesucht hat. Erst an der Rezeption wird ihm klar, dass sie keine Minute ohne Otto verbringen werden. Was hatte er gedacht? Dass sie dem Zehnjährigen ein Einzelzimmer buchen würde? Sie behauptet, er würde sich großartig mit ihrem Sohn verstehen. Er ist sich nicht sicher, ob es ihre Überzeugung oder ihr Wunsch ist. Er mag den Kleinen, fragt sich, warum es noch kein modernes Wort für Stiefvater gibt, ein Wort, das sich weniger nach Ablehnung und Gefahr anhört.

Er hatte keinen Stiefvater gehabt. Sanne hatte alle als ihre Freunde bezeichnet, Mitbewohner, Liebhaber, Nachbarn, Kellner, wirkliche Freunde.

„Die ganze Stadt hat auf dich aufgepasst", hatte sie später immer wieder gesagt, und das Sprichwort vom ganzen Dorf, das es braucht, um ein Kind großzuziehen, hinterhergeschoben, mit einem zufriedenen Gesicht, als hätte es sich um ein anerkanntes pädagogisches Konzept gehandelt. Wenn er sieht, wie seine Freunde ihre Kinder hüten, wenn er hört, wie Esther und ihr Ex sich schlecht gelaunt absprechen, um Otto eine Kindheit der lückenlosen Aufsicht zu sichern, fragt er sich nicht, woher Sanne ihre Sorglosigkeit hatte, er fragt sich, wie er sich gefühlt hat und findet keine Antwort.

Er konnte überall schlafen. Er weiß nicht, ob es eine Gabe war oder seine Art, brav zu sein. Es entsprach ihrem Bild vom mediterranen Leben, dass Kinder nicht ins Bett gehörten, was wiederum bedeutete, dass sie nicht zu Hause hocken musste. Also schlief er auf Rücksitzen und Restaurantbänken, hörte die Musik und die Stimmen der Erwachsenen durch seine Träume. Einmal war er in einer leeren Bar aufgewacht. Zwei Männer stellten die Stühle hoch, stellten ihm ein paar Fragen und nahmen ihn schließlich mit. Am nächsten Mittag setzte der eine ihn mit einer Schüssel Cornflakes vor den Fernseher, führte ein paar Telefonate und fuhr dann mit ihm zurück in die Bar. Dort saß sie mit einem Kaffee und einem Croissant und begrüßte ihn, als käme er von einem geplanten Ausflug zurück. Er erinnert sich nicht an Angst oder Erleichterung, weder bei ihr noch bei sich selbst. Stattdessen sieht er sich nur von außen. Als würde er von sich selbst träumen.

Der Tag muss genutzt werden, also gehen sie hinaus in die Mittagssonne, in der er sofort das Gefühl hat, zu zerfließen. Die Stadt ist voll von Menschen, die in ihren Shorts und Schlappen aussehen wie überall, die in Geschäfte gehen, die es überall gibt. Er liest die Wegweiser, zum Museum, zu den Markthallen, zur unvollendeten Kathedrale, die Esther sich anschauen will. Er verbietet es sich, stehenzubleiben oder das Navi zu befragen, lotst seine Freundin und ihr Kind durch die Menschenmassen und durch die Straßen, biegt ab, als wüsste er den Weg im Schlaf. Er weiß nur, dass er die Gegend um die Ramblas verlassen muss. Die Hitze setzt ein Bouquet aus Müll, Menschen und Abgasen frei, an dem er fast erstickt. „Lass uns in den Schatten gehen“, sagt er zu Esther. „Wir dürfen nicht in die Sonne, das vertragen wir nicht“, hatte Sanne immer gesagt. Es hatte sich angehört, als hätten sie sich einen Organismus geteilt, aber das war ihm erst viel später aufgefallen, als man ihm sagte, er sei ein mediterraner Typ, habe einen olivfarbenen Teint, was ihm komisch vorkam, weil er bei Oliven an grün dachte. Sanne war hell und sommersprossig, wurde *la rubia* genannt, die Blonde, obwohl sie erdbeerblond war. Sie hatte keine Angst, in der Sonne zu verbrennen, sie versteckte sich vor der Helligkeit. Das Licht war ihr Feind, machte sie ratlos und konfus. Wenn es nachließ, wurde sie wach und klar. Sie fuhren trotzdem an die Strände. Wie Pendler stiegen sie jeden Tag in den Zug nach Castelldefels oder Sitges, wo sie die Tage aussaßen, in den Restaurants und Bars, in denen die Leute hockten, die hier wohnten und arbeiteten, für die die Sonne weder eine Bedrohung noch eine Attraktion darstellte. Sie blätterte rauchend durch die Zeitungen, er malte, schaute durch die Plastikfolienfenster hinaus auf den Strand oder in den Fernseher über der Bar. Es roch nach Putzmitteln und Paella, denn die gab es zu Mittag, aber nicht für sie. „Meeresfrüchte bekommen uns nicht“, sagte sie und bestellte stattdessen kleine, ledrige Steaks, öltriefende Salate oder getoastete

Sandwiches, die man in zwei Dreiecke schnitt und Bikini nannte. Die Kellner trugen weiße Hemden unter bordeauxroten Westen, immer. Joan stand auf dem Namensschildchen ihres Lieblingskellners. Joan, wie Miró, nicht wie Collins. Ein Scherz, den er erst mit jahrelanger Verspätung verstand.

Abends, wenn die alten Männer kamen, die den Sand mit Metalldetektoren nach Münzen und Schmuck absuchten, gingen sie ins Meer. Kurz und ernst, als wäre es ihre Pflicht.

Was haben wir eigentlich im Winter gemacht, fragt er sich jetzt. Sie gehen nicht in Richtung Kathedrale, was den beiden anderen nicht auffällt, stattdessen bewegen sie sich tiefer in das Wohnviertel hinein, dessen Straßen immer schmaler werden. Er muss hier irgendwo gewohnt haben, doch er erkennt keinen Laden, an dem er sich orientieren könnte.

„Hier hätte man sich in den Neunzigern was kaufen sollen", sagt Esther und legt den Kopf in den Nacken. Sie ist ein paar Jahre älter als er, dennoch zu jung, um einem verpassten Immobilienkauf in den Neunzigern hinterherzutrauern. Er nickt trotzdem. Vielleicht kann sie sich vorstellen, wie es hier ausgesehen hat, pittoresk und schläfrig, in seiner Erinnerung immer menschenleer und windstill. Seine Kindheit, eine endlose Siesta.

Er wusste damals nicht, dass sie sich eins dieser Häuser hätte kaufen können, dass es keine Notwendigkeit gewesen war, ständig umzuziehen, immer Mitbewohner zu haben, sondern ihre Entscheidung. Anders als Otto hatte er keine klare Vorstellung vom Geldverdienen gehabt, für ihn kam das Geld aus den kleinen, dunklen Läden, in denen es gewechselt oder abgeholt wurde. Er mochte es, wenn die Leute hinter den Glasscheiben stoisch die Zahlen herunterschnarrten und die Scheine durch ihre Finger gleiten ließen wie Kartentrickser. Zehn- oder Hunderttausende von Pesetas. Sie zählte nie nach, das Ritual der Leute hinter den Schaltern reichte ihr, sie stopfte die dicken Scheinbündel in ihre Tasche wie eine Bankräuberin, nahm ihn an der Hand und zog ihn hinaus in die gleißende Sonne, vor der sie auf der Flucht waren. In seiner Erinnerung liefen sie immer bergab, in ihrem Tempo. Mal zog sie ihn hinter sich her, dann wieder ließ sie ihn warten, weil sie in eine Telefonzelle musste oder etwas in ihrer großen Handtasche suchte, fluchend, die Zigarette im Mundwinkel oder zwischen den vorderen Gliedern von Mittel- und Zeigefinger. Dann liefen sie weiter, schnell, trotz ihrer immer hohen Absätze.

Er schaut auf ein paar Touristinnen und auf Esther, die eine Fassade fotografiert, und fragt sich, wann die Frauen angefangen haben, konsequent flache Schuhe zu tragen. So funktionieren seine Erinnerungen, über Fragen. Wie hieß das Kaufhaus, in dem sie sich vor der Mittagssonne versteckten? El Corte Inglés. Wenn sie die Kleiderständer durchsuchte, entschlossen, fast ärgerlich – nein, nein, nein, schon eher, wie wär's hiermit? –, streunte er durch die anderen Abteilungen, fuhr mit den Rolltreppen, versteckte sich in den Kabinen. Er weiß nicht mehr wie, aber sie hat ihn immer wieder gefunden.

Als sie an einer offenen Haustür vorübergehen, riecht er den kühlen Stein, sieht den schmiedeeisernen Aufzug und erinnert sich daran, wie er unter der Pförtnerloge entlanggerobbt war. Sie hatte ihm erzählt, die Portera sei eine Hexe und die Vermieter die grauen Herren.

„Hier haben wir gewohnt“, sagte er und zeigt

auf ein schmales Haus, das aussieht wie die anderen Häuser in dieser Straße, die aussieht wie die anderen Straßen in diesem Viertel. Er hatte nie einen Straßennamen gewusst, hatte sich immer an einem stockdunklen Eckcafé orientiert, in dem alte Männer standen und ganztägig Kaffee und Brandy tranken.

Esther mustert das schlafende Haus, und er mustert Esther. Ihre Kindheitserinnerungen laufen an einem Zeitstrahl entlang, folgen einer klaren Anordnung von Ereignissen und Jahreszahlen, dokumentiert und beglaubigt durch Fotos, Eltern, Geschwister. Seine Erinnerungen sind unzuverlässige Fetzen ohne jede Dramaturgie, die ihre Bedeutung ständig ändern. Er weiß nicht, wie lange sie in dem Haus gewohnt hatten, das so ausgesehen hatte wie dieses hier, das Esther mit einer touristischen Ehrfurcht betrachtet, als wäre es von Gaudí. Er weiß nur, dass die Gasse so eng gewesen war wie diese hier, dass es ihm vorgekommen war, als könne er auf den Balkon gegenüber springen, und ihm fällt wieder ein, dass sein Zimmer nach hinten hinaus ging, nicht in einen Hof, sondern in einen Schacht, aus dem morgens das Küchengeklapper und der Frittiergeruch der Nachbarn zu ihm nach oben gestiegen war. Er hörte die anderen auch nachts, ein Hörprogramm aus Gemurmel, Gelächter, Gestöhne und Musik. Er kannte die Gesichter dieser Leute nicht, aber er hätte nach ihnen rufen können, wenn sie nicht da war; sie waren seine Babysitter, auch wenn sie es nicht wussten.

Er hat nie wieder in einem Haus mit mehreren Parteien gewohnt. Nach seiner Zeit im Internat war er nie wieder den Gerüchen und Geräuschen von Fremden ausgesetzt gewesen. Er lebte in grünen, ruhigen Straßen, in Gated Communities, am Wasser. Immer dort, wo man die Stadt schnell erreichen konnte, wenn man sie brauchte: Mailand, Mexico City, Kapstadt, Berlin. Umgeben von Leuten mit Hunden und dem Wunsch nach Abstand, ausgedrückt durch Hecken, Sicherheitssysteme und Zahlen statt Namen an den Klingelschildern. Alle seine Fotos zeigen Städte. Ihre Straßenschluchten, Flüsse aus Rücklichtern, Wälder aus Werbung, ihre Bewohner auf der Jagd nach Dingen und bei der Nahrungsaufnahme. Er hat sie fotografiert wie ein Städter die Natur, mit dem staunenden Auge des Fremden.
Vielleicht, denkt er jetzt in der überfüllten Stadt, sollte er sich eine Wohnung im Zentrum nehmen.

Und dann? Er hatte nie gewusst, wie er wohnen wollte, wo und mit wem; es hatte sich immer ergeben. Er kann nicht einmal sagen, welcher seiner Wohnorte ihm am besten gefallen hat. Wenn er auf Leute mit Heimweh oder Fernweh trifft, sehnt er sich nach deren Sehnsucht.

Er hatte Ottos Frage erwartet, trotzdem trifft sie ihn jetzt. So lapidar wie sie ist, so unausweichlich ist sie. Er antwortet zu laut und schnell.

Also: Er war auf eine katholische Jungenschule gegangen. Außerhalb der Stadt, weshalb er sie ihnen leider nicht zeigen kann. Esther nickt. Er nennt sie Sant Ferran und schmückt sie derart pompös aus, dass er den Harry-Potter-Film in Ottos Kopf regelrecht sehen kann, während er redet. Doch leider war da auch der einstündige Schulweg gewesen, denn seiner Mutter war es wichtig, dass er auf diese Schule geht. Esther nickt wieder, versteht diesen Punkt sehr gut, und er redet weiter, über die Morgenmessen, Schuluniformen, strengen Priester, seine Freunde, die er Jordi, Xabi und Pedro nennt, bis er das Gemäuer und die Jungs vor sich sehen kann. Es tut ihm gut, seine Erinnerungen ihren Erwartungen anzupassen, er sieht in ihren Gesichtern, dass alles genau so gewesen sein könnte.

Die offizielle Geschichte hatte immer gelautet, dass er hier zur Schule gegangen war. Dass sie und ihre Freunde ihm Lesen, Schreiben und die Grundrechenarten beigebracht hatten, behielt er so lange für sich, bis er es fast vergessen hatte. Das Schwimmen brachte er sich selbst bei, das Fahrradfahren auch, heimlich und zu spät. Er verstand drei Sprachen und wusste nie, welche er mit wem sprechen sollte, also sprach er lange kaum, was niemanden zu stören schien. Sanne sprach einen fließenden Mix, benutzte Deutsch nur, um ihm vorzulesen, zu fluchen, nach Hause zu telefonieren. Wenn er auf andere Kinder traf, was selten vorkam, war er der deutsche Junge, was er als Verhöhnung verstanden hatte, denn er kannte ihre abschätzigen Bemerkungen über die Deutschen, Leute, deren Sitten und Klamotten sie verachtete. Hin und wieder sagte sie ihm, dass er es besser habe als andere Kinder, was er so hinnahm, denn er hatte keinen Vergleich. Zu den Leuten, denen sie aus dem Weg ging, gehörten neben Polizisten und Deutschen auch andere Eltern, auf deren Fragen sie so allergisch reagierte wie auf direkte Sonneneinstrahlung. Er hat nie erfahren, womit man sie zur Heimkehr überredet oder gezwungen hatte. Aber er erinnert sich an Tage, an denen sie ihn ignorierte und nur noch telefonierte, und an das Gefühl, er sei schuld daran.

Die Stadt vibrierte, als sie sie verließen. Sie war die herausgeputzte, aus allen Nähten platzende Gastgeberin der Olympischen Spiele. „Das war´s dann wohl“, sagte Sanne auf dem Weg zum Flughafen, als hätte die Stadt sie beleidigt.

In Deutschland kam er direkt in die vierte Klasse, ein Schuljahr, das in seiner Erinnerung komplett fehlt, wie überhaupt seine Erinnerung an Hamburg. Danach schickte man ihn aufs Internat. Dort, sagten seine Großeltern, die er erst seit Kurzem kannte, würden die Kinder besser zu ihm passen. Sie kamen aus unterschiedlichen Ländern, ihre Eltern waren weit weg und hatten Geld. Dass er zu ihnen gehörte, erfuhr er erst dort. Sanne schickte Karten aus Südamerika, aus Asien, aus Andalusien. Es hieß, sie würden die Ferien gemeinsam verbringen, doch sie tat sich schwer mit jeder Art von Abmachung. Es war, als wäre ihre Zeit vorüber, als wären sie Freunde gewesen, oder Liebende, die auseinanderdrifteten, ungewollt, aber unaufhaltsam. Wütend wurde er erst Jahre später. Als er fand, sie wäre ihm eine Erklärung für diese Jahre schuldig. Er hatte nur mit zwei Menschen über diese Zeit gesprochen. Die erste hatte gesagt, sie verstehe Sanne, ihre Flucht vor den Zwängen und dem Geld. Dieses Mädchen war seine erste, kurze Liebe im Internat gewesen. Sie wusste, wovon sie sprach, wenn es um Zwänge und Geld ging. Die zweite, die auch seine zweite Liebe gewesen war, hatte ihm fasziniert zugehört und ihn von da an anders behandelt. Sie hatte die Worte Missbrauch und Entführung benutzt, die er von sich weisen musste, erst zaghaft, dann entschlossen, schließlich wütend. Natürlich hatte sie ihn nicht entführt, sie war seine Mutter. Natürlich hatte er kein Trauma, nur weil seiner Freundin dieses Wort gefiel. Er hatte keine Lust, sich seine Kindheit von anderen deuten zu lassen. Also sprach er nie wieder mit Außenstehenden über diese Jahre. Und auch mit Sanne nur einmal. Sie denke so gern an diese Zeit zurück, sagte sie ihm am Telefon, seinen Fragen ausweichend. Stattdessen schwärmte sie von sich, der jungen, freien Frau, nannte ihn ihren kleinen Beschützer. „Ja, aber …“, hakte er ein, wollte etwas hören, von dem er wusste, dass sie es ihm nicht geben würde. Keine Entschuldigung, aber eine Erklärung, oder –

er suchte nach dem Wort – vielleicht Einsicht? Sie könne nicht fassen, was für ein Spießer aus ihm geworden sei, sagte sie nur und legte auf.

Wie fühlt es sich an, in einer Stadt zu leben, in der die Fremden in der Überzahl sind, ständig den Alltagsfluss verstopfen, fragt er sich jetzt, als er Esther und Otto in ein Restaurant folgt. Der Kellner ignoriert Esther, fragt stattdessen ihn, ob sie zusammengehören. Ja, sie gehören zusammen, sagt er, und während er Esther und Otto zum Tisch folgt, spürt er, wie sich etwas in ihm löst. Er traut sich, auf *catalán* zu bestellen, was die Stimmung und seinen Status hebt. Ein paar Worte machen ihn zu einem Mann, der hierhergehört.

„Wo wohnt deine Mutter jetzt?", fragt ihn Otto zwischen den Gurgelgeräuschen seines Strohhalms. „In der Nähe von Málaga", sagt er. Er weiß nicht, ob sie dort noch wohnt. Aber er kann sich vorstellen, wie sie dort den Schatten jagt und findet.

Bisher bei Novellix auf Deutsch erschienen

Nr. 1 Annemarie Schwarzenbach *Eine Frau zu sehen*
Nr. 2 Selma Lagerlöf *Die Geisterhand*
Nr. 3 Charlotte Perkins Gilman *Die gelbe Tapete*
Nr. 4 Simone de Beauvoir *Marcelle*
Nr. 5 Jane Austen *Die drei Schwestern*
Nr. 6 Judith Hermann *Träume*
Nr. 7 Virginia Woolf *Lappin und Lapinova*
Nr. 8 Stefan Zweig *Das erste Wort über den Ozean*
Nr. 9 Anke Stelling *Heilsversprechen*
Nr. 10 Sara Stridsberg *Wir waren Raubtiere*
Nr. 11 Daniela Dröscher *Ophelia, mach hinne*
Nr. 12 Ingvild H. Rishøi *Wir können nicht allen helfen*
Nr. 13 Lena Gorelik *Keine Weihnachtsgeschichte*
Nr. 14 Hans Fallada *Weihnachten in Berlin*
Nr. 15 Sarah Khan *Weihnachten mit Hüsniye*
Nr. 16 Selma Lagerlöf *Ein Weihnachtsgast*
Nr. 17 Astrid Lindgren *Allerliebste Schwester* und *Mirabell*
Nr. 18 August Strindberg *Ein Puppenheim*
Nr. 19 Stig Dagerman *Die Kälte der Mittsommernacht ist hart*
Nr. 20 Selma Lagerlöf *Ein Stück Lebensgeschichte*
Nr. 21 Jackie Thomae *Sagrada Familia*
Nr. 22 Dmitrij Kapitelman *Überm Strich*
Nr. 23 Till Raether *Hauptsache, dir gefällt's*
Nr. 24 Katrin Schumacher *Stadt der Füchse*

Bisher bei Novellix auf Englisch erschienen

Virginia Woolf *Lappin and Lapinova*
D.H. Lawrence *Sun*
Katherine Mansfield *Bliss*
Charles Dickens *Horatio Sparkins*
Astrid Lindgren *Most Beloved Sister & Mirabelle*
August Strindberg *Frictions*
Selma Lagerlöf *The Silver Mine*
Karin Boye *Ella Breaks Free*
Oscar Wilde *The Nightinggale and the Rose…*
Mary Shelley *The Trial of Love*
Leo Tolstoy *After the Dance*
Virginia Woolf *The Legacy*
Karen Blixen *The Pearls*
Henrik Pontoppidan *The Grim Reaper*
Virginia Woolf *Kew Gardens*
James Joyce *The Boarding House*
Edith Wharton *The Quicksand*
Katherine Mansfield *The Garden Party*